Mulheres da Bíblia em literatura de cordel

curadoria sementes

Mulheres da Bíblia em literatura de cordel

GILMARA MICHAEL

Com revisão técnica de Allan Sales

MUNDO CRISTÃO

Imagem de capa: MBCheatham / iStock

CIP-Brasil. Catalogação na publicação
Sindicato Nacional dos Editores de Livros, RJ

M569m
Michael, Gilmara
Mulheres da Bíblia em literatura de cordel / Gilmara Michael. - 1. ed. - São Paulo : Mundo Cristão, 2022.
128 p.

ISBN 978-65-5988-150-5

1. Literatura de cordel brasileira. 2. Mulheres da Bíblia. I. Título.

22-78819 CDD: 398.204981
CDU: 398.51(81)

Gabriela Faray Ferreira Lopes - Bibliotecária - CRB-7/6643

Categoria: Literatura
1ª edição: setembro de 2022

Edição
Daniel Faria

Revisão
Natália Custódio

Produção e diagramação
Felipe Marques

Colaboração
Ana Luiza Ferreira
Marina Timm

Capa
Ricardo Shoji

Publicado no Brasil com todos os direitos reservados por:

Editora Mundo Cristão
Rua Antônio Carlos Tacconi, 69
São Paulo, SP, Brasil
CEP 04810-020
Telefone: (11) 2127-4147
www.mundocristao.com.br

Sumário

Prefácio

Gilmara Michael é pastora metodista e filha de Muribeca, Sergipe. Atualmente reside em Olinda, Pernambuco, onde exerce seu ministério cristão e atua como educadora e ativista social.

Conheci a pra. Gilmara Michael por indicação de minha amiga e editora Ana Ferraz. Agendamos uma conversa, e tive a honra de capacitar essa nova amiga nas técnicas da poesia nordestina de formas fixas empregadas pelos repentistas e cordelistas de nossa terra.

Desde o começo fluiu uma grande empatia. Gilmara é uma serva de Jesus com fervor e sem fanatismo, uma ativista social comprometida com diversos assuntos pendentes de nossa ainda malformada civilização brasileira.

Gilmara estreou versejando sobre o Sermão da Montanha, o grande marco dos ensinos de Jesus. Daí por diante, ela, senhora das técnicas de metrificação e rima, segue seu caminho, escrevendo para seu povo com verdade, sentimento e elegância na linguagem que sabe expressar. Louvada seja minha amiga e parceira de estradas poéticas Gilmara Michael!

A mulher fazendo versos
Na palavra que conduz
Numa verve nordestina
De carisma e tanta luz
Salve ela nossa artista
A Gilmara cordelista
Pela glória de Jesus

Nordestina sergipana
Nossa nobre escritora
Metodista é pastora
E mulher tão soberana
N'Olinda pernambucana
Sua arte aí reluz
Ao pensar que nos induz
A pastora e ativista
A Gilmara cordelista
Pela glória de Jesus

ALLAN SALES
Músico, compositor e poeta cordelista

Introdução

A ideia de trabalhar a temática bíblica das mulheres e em cordel está muito ligada a minha história de vida. Desde muito cedo precisei de resiliência e criatividade para superar dificuldades, fossem as familiares no contexto doméstico quando criança e adolescente, fossem as que se impuseram quando da vocação pastoral e do exercício do ministério por algumas cidades do nordeste brasileiro, para onde fui designada ao longo desses poucos mais de vinte anos de caminhada.

A poesia sempre esteve presente em minha vida. Uma tradição familiar, na verdade, que descobri com meus avós na contação de histórias e na convivência com tias e tios que faziam e fazem até hoje versos improvisados declamados e tocados ao som de violão. Meu pai, em particular, tem parcela muito importante nesse meu despertamento musical e poético. Foi ele que formou, com minha mãe e meus irmãos, minha primeira plateia, para juntos ouvirem poesias no Dia das Mães e dos Pais. Algo que me emociona ainda hoje.

A vivência na Igreja Metodista em Muribeca, Sergipe, é outro capítulo à parte. Pessoas como o pr. Oswaldo Curvelo (meu primeiro pastor), dona Neuza Curvelo, sua esposa, Tereza Souza e Airton Souza (padrinhos), Torquato Anacleto Muniz e Elisa Muniz foram e são pessoas que enriqueceram minha vida, proporcionando mais intimidade com a vida religiosa e cristã, com destaque para as participações musicais e poéticas nos cultos de nossa pequena igreja.

A partir da formação acadêmica em Teologia pela Universidade Metodista de São Paulo (UMESP), adquiri ferramentas importantes para mergulhar numa hermenêutica mais precisa das narrativas bíblicas. Então uni essas duas paixões, a poesia e a teologia, para resgatar a vida de personagens da Bíblia, sobretudo mulheres.

Um presente divino que destaco foi conhecer o músico, repentista e cordelista Allan Sales. Pude, através dele e com ele, me familiarizar com as técnicas e métricas da literatura de cordel.

Conhecimento sumamente importante para a composição e criação deste material.

Se for possível traduzir o sentimento de gratidão em palavras, ouso expressar e nominar algumas pessoas nesse processo de construção de meus poemas. Ruah, como fonte de inspiração de todo bem. Meus pais, Genival e Genizete. Meu esposo e filho e filhas, Ailton, Kaio, Hadassa e Rebeqah. Karine Costa (minha "pareia"), João Marcos, Didio e Flávia Camargo. Aurenise, minha querida terapeuta. A Editora Mundo Cristão, por proporcionar essa produção, e todos e todas que amam a poesia!

As mulheres da Bíblia, assim como nós na atualidade, precisam ecoar suas vozes em total liberdade e respeito. Jesus fez isso em sua época de maneira tremenda. Ele acolheu, ouviu e foi ouvido, respeitou a condição da mulher na sua época e apontou o caminho para sua comunidade agir. Os textos aqui reunidos procuram expressar essa realidade bíblica em formato de poesia de cordel. Espero que leitoras e leitores apreciem esta compilação de poemas e sejam, de algum modo, abençoados por meio dela.

Sara

(Gênesis 17—18)

Ela era esposa de Abraão
Em jornada na vida o acompanhou
Era estéril porque nunca gerou
Em seu ventre, mas tinha intenção
De abraçar e em amamentação
Ser chamada de mãe que protegeu
Ter nos braços o filho que nasceu
Pelas dores gritar silenciosa
Sara foi matriarca já idosa
E Isaque, o varão que concebeu

Já não tinha esperança de parir
E ao marido o Senhor visitou
Pela boca do anjo seu falou
Um menino viria existir
Pois do céu Deus iria intervir
Foi então que aí aconteceu
A mulher de Abraão se escondeu
E ouviu porque estava curiosa

Sara foi matriarca já idosa
E Isaque, o varão que concebeu

Da promessa divina escutou
Parecia impossível acontecer
O que Deus a Abraão foi prometer
Ela ouvindo ali se alegrou
Achou graça, sorriu e suscitou
Abraão que fingiu não entendeu
A pergunta o anjo empreendeu
Sobre ela e idade já ditosa
Sara foi matriarca já idosa
E Isaque, o varão que concebeu

Deus promete e cumpre o que disser
E depois de um ano já passado
Sara teve o menino esperado
E sentiu o materno ser mulher
Conhecida por um feito não qualquer
Desse jeito o milagre sucedeu
E da mão santa ela recebeu
Privilégio que a fez ser graciosa
Sara foi matriarca já idosa
E Isaque, o varão que concebeu

O menino foi o "filho da alegria"
Lindo nome para ele escolhido

Pois talvez sua mãe teria rido
Por ouvir na velhice que teria
Bênção que toda a vida mudaria
Ao Senhor Deus Javé agradeceu
Porque ele então favoreceu
Fez a estéril nação ser populosa
Sara foi matriarca já idosa
E Isaque, o varão que concebeu

Com o tempo passando eis o conflito
Foi preciso saber como lidar
Relação com o filho de Hagar
Meios-irmãos como a história nos tem dito
E parece que o filho favorito
Era Isaque e Ismael o precedeu
Por intriga ela não reconheceu
E agiu pois não foi tão generosa
Sara foi matriarca já idosa
E Isaque, o varão que concebeu

Exigiu a postura de Abraão
Dispensar mãe e filho no deserto
Atitude que não aprovou decerto
Coisa triste é lidar com a rejeição
Dói na alma e também no coração
Ser expulso assim como ocorreu

Se não fosse vontade do Deus seu
Sim teriam uma morte pavorosa
Sara foi matriarca já idosa
E Isaque, o varão que concebeu

Da escrava e seu filho Ismael
O Senhor levantou outra nação
No deserto fartou fome de pão
Não deixou ter destino tão cruel
Fez crescer o seu povo de Israel
Como ao tal patriarca prometeu
Fazer grande a nação do povo hebreu
Seus herdeiros de gente grandiosa
Sara foi matriarca já idosa
E Isaque, o varão que concebeu

O cansaço e os dias se findando
Por ser frágil e a idade avançada
A mulher que findou sua jornada
E aos poucos seus olhos se fechando
Para trás na história registrando
De um legado que a muitos convenceu
Aos cristãos e também para o judeu
O seu nome mulher tão virtuosa
Sara foi matriarca já idosa
E Isaque, o varão que concebeu

E na Bíblia sua história é lembrada
No Antigo e no Novo Testamento
Trajetória e um belo documento
Nos motivam a uma fé bem renovada
Por milagre que assim fora alcançada
Como em toda a Bíblia já se leu
Foi citada como alguém que já morreu
Nos deixando a lição mais preciosa
Sara foi matriarca já idosa
E Isaque, o varão que concebeu

Hoje ainda problemas acontecem
Pelo mundo terrível relação
De família sem ter a compaixão
Nos abraços já não se reconhecem
De mãos dadas assim que permanecem
Superando sim o mal que ocorreu
Que mandou nosso Pai no ensino seu
Para o mundo ter mente não rixosa
Sara foi matriarca já idosa
E Isaque, o varão que concebeu

E em versos enfim quero expressar
Gratidão ao Senhor que abençoou
Seu milagre na estéril operou
Madre seca ele fez sim germinar

Até hoje Deus se põe realizar
E comigo também isso ocorreu
Maravilha semelhante se me deu
Por um filho eu chorava ansiosa
Sara foi matriarca já idosa
E Isaque, o varão que concebeu

Hagar

(Gênesis 16—17; 21.8-21)

Do deserto a promessa
Um cordel para contar
Sobre a mulher egípcia
Que se chamava Hagar
Era de Sara a escrava
Alguém para confiar

Pois na Bíblia é narrada
Esta mulher se tornou
Concubina de Abraão
Pois Sara solicitou
Um filho de outro ventre
Pois no dela não gerou

Hagar sem ter o direito
De ela mesma decidir
Engravidou de um homem
Em sua vida a servir
Sobre os seus sentimentos
Em narrativa não li

Na condição de escrava
Sara tomou decisão
Alheia à preta Hagar
Sem a sua opinião
E essa não se opondo
Pra dona e pro seu patrão

Aquele bucho crescendo
Mudou seu comportamento
E Sara não gostou nada
Com um olhar sempre atento
Reclama para o marido
O seu descontentamento

Sem querer tomar partido
O homem não quis saber
Pra Sara diz com franqueza
Que não irá se envolver
Que ela faça então
Conforme o seu querer

E nessa oportunidade
Sara humilha Hagar
Por sua vez resolveu
Para o deserto zarpar
E coube ao anjo de Deus
Com a estrangeira falar

Com tal orientação
Pra que voltasse a mulher
E aguardasse a promessa
Pois Deus faz sim como quer
Para o menino Ismael
A descendência é mister

Era o Deus da verdade
A promessa iniciando
No deserto da aflição
Com essa mulher falando
Por graça e misericórdia
Duas vidas preservando

Hagar retorna pra casa
Para o seu filho nascer
E por Deus sua promessa
Veio lhes favorecer
A escrava estrangeira
Na Bíblia seu nome ter

Mãe de uma descendência
De flecheiros do deserto
Hagar foi eternizada
E na história é por certo
Resistência e exemplo
Ela nos toca de perto

Quando Sara teve o filho
Chamado que a Bíblia versa
Ismael com sua mãe
Viram a Sara perversa
Com intriga do pirraia
Criou fofoca e conversa

Obrigando seu marido
Mãe com filho despedir
E errante nessa vida
Eles deviam sair
Um pouco de pão e água
Num odre para partir

Com anuência de Deus
Abraão mandou embora
E estando no deserto
O filho da fome chora
A mãe se pondo de longe
Triste visão só piora

E Deus escutou de perto
Ismael triste chorando
Manda seu anjo e socorro
A mulher ir visitando
E água fresca do poço
A Ismael ela dando

Sustento por mão divina
Hagar experimentou
Do deserto à promessa
Esse caminho trilhou
Conhecida é a história
Que ela protagonizou

Rebeca

(Gênesis 22—25)

Outra mulher em cordel
Com a Bíblia aprender
Resgatando a história
Não se pode esquecer
Em poesia e versos
Eu me pus a escrever

Personagem feminina
E tem por merecimento
Lindo nome em hebraico
Farei o revelamento
Importante matriarca
Do Antigo Testamento

Ainda não imagina
De quem eu estou falando?
Lhe darei mais uma pista
Vá na mente assuntando
Mas se difícil achar
A Bíblia vá consultando

Tô falando de Rebeca
Da filha de Betuel
A beleza primorosa
Uma estrela do céu
Ficará bem conhecida
Como mãe em Israel

Primeiro livro da Bíblia
Que fala da criação
Também fala de Isaque
De Sara, de Abraão
Parentela de Rebeca
E Labão o seu irmão

O patriarca de Israel
Por costume decidiu
Casar seu filho Isaque
Então assim preferiu
Casamento arranjado
Ao seu servo incumbiu

E o servo lá se foi
Uma moça procurar
Entre o povo hebreu
Pra seu filho se casar
Esse servo em oração
Ao Senhor foi consultar

Partindo de Canaã
Pra cidade de Naor
O homem vai suplicando
Pede a bênção do Senhor
Que lhe mostrasse a moça
Por seu divino favor

E antes que acabasse
Sua humilde oração
Ele vê se aproximar
Linda jovem de feição
Apanhar água no poço
Com o cântaro na mão

O servo pediu a Deus
Que a jovem escolhida
Fosse quem lhe desse água
Em boa e farta medida
E também aos animais
Em sua jarra trazida

Quando a jovem chegou
Aonde estava Eliezer
À beira daquela fonte
Com esperança e fé
Ele então fez o pedido
À linda e jovem mulher

"Dá-me um pouco desta água"
Aquele homem pediu
A jovem bondosamente
Sorrindo se dirigiu
E da fonte encheu o cocho
Como este servo inquiriu

Naquele mesmo instante
Do servo de Abraão
Rebeca então recebeu
Joias como gratidão
Declarando ao mordomo
Da sua filiação

Mal podia acreditar
Na divina provisão
O bom servo inda pediu
Dormida e um pouco de pão
E Rebeca os conduziu
Para sua casa então

E ao chegar com Rebeca
A família acolheu
Aquele desconhecido
Comida lhe ofereceu
Ele então que declarou
Da missão que se lhes deu

Diante daquela gente
Tudo fora relatado
A procura de uma noiva
Suspeitava ter achado
Pro filho de Abraão
Que desejava o noivado

Quando Rebeca ouviu
Verdadeira intenção
Que tinha aquele homem
Para pedir a sua mão
Um casamento arranjado
Com o filho de Abraão

Os seus pais lhe concederam
E ao virem os presentes
Que o servo bom entregou
Logo abriram os dentes
E Rebeca aceitou
O que vinha pela frente

Já de volta para terra
Isaque a conheceu
E passados muitos anos
Filhos gêmeos concebeu
Um agarrado no outro
Veja a forma que nasceu

Os filhos foram chamados
De Esaú e de Jacó
Mas Rebeca preferia
Nunca o deixava só
E ao seu filho mais novo
Veja então o quiproquó

Jacó que era esperto
Em um ato de usura
Enganou ao seu irmão
Da primogenitura
Usurpando o direito
Não agindo com lisura

O pior foi que Rebeca
Da farsa participou
Vestiu Jacó de Esaú
E ao pai cego enganou
Que lhe deu a sua bênção
Como se profetizou

Uma intriga maldita
A mãe havia criado
Esaú enfurecido
E Jacó sendo odiado
Agora um homicídio
Seria arquitetado

Veja como são as coisas
Chamo falta de prudência
Uma mãe não pode nunca
Agir pela preferência
Amaldiçoar a casa
Nessa triste convivência

No meio do reboliço
Inda teve confusão
Rebeca manipulando
Uma outra situação
Convenceu o seu marido
Mandar Jacó para Labão

Percebendo toda briga
E o que havia suscitado
Rebeca mais que depressa
Deixou tudo projetado
Mandar Jacó ir embora
Pra não ser assassinado

Bem assim aconteceu
Como a mãe induziu
Jacó foi aos seus parentes
Da sua terra partiu
Fugindo do seu irmão
Rebeca não mais o viu

E na casa de Labão
Procurou se hospedar
O irmão de sua mãe
Com ele negociar
E depois de algum tempo
Com suas filhas se casar

Infelizmente Rebeca
Tomou uma decisão
Movida por sentimento
Ou quem sabe ambição
Dando a um dos seus filhos
Toda a sua proteção

Sua morte é narrada
E na Bíblia está escrita
Sepultada ela foi
Com os seus a Bíblia cita
No campo de Macpela
Uma terra tão bonita

Como mãe em Israel
Rebeca deixa o legado
De um povo numeroso
E por Deus abençoado
Uma promessa divina
No tempo premeditado

Lia e Raquel

(Gênesis 29—30; 35.16-20)

Duas irmãs e um destino
No Antigo Testamento
Na Bíblia mencionadas
Muvuca pra casamento
Um pai pra lá de esperto
Que causa aborrecimento

De Lia e Raquel eu falo
Do sabido pai Labão
Acolheu Jacó sobrinho
Fugindo do seu irmão
Depois que fez cambalacho
Roubando e passando a mão

Jacó avistou Raquel
Quando dava de beber
Às ovelhas e rebanho
Pastagem fazer comer
E assim pastoreava
Era esse seu dever

Quando se apresentou
Com bastante gentileza
Ajudando sua prima
Lhe declarou com clareza
Ser o filho de Rebeca
Um dos gêmeos com certeza

Raquel anuncia a todos
Que Jacó era parente
E Lia a irmã mais velha
Vai logo abrindo os dentes
Por poder ser contemplada
Com futuro pretendente

Mas o coração do moço
Bateu forte por Raquel
Ao seu tio prometeu
Sete anos ser fiel
Trabalhando com afinco
Para ter lua de mel

Como se diz o ditado
Ladrão que rouba ladrão
Não terá duro castigo
Mas cem anos de perdão
Foi o que aconteceu
Jacó com o tio Labão

No dia do casamento
Que Jacó empreendera
Com Raquel a sua prima
Achando que merecera
Por anos ter trabalhado
Ele assim entendera

De noite o tio sabido
Ao sobrinho enganou
A Lia filha mais velha
A Jacó ele entregou
Se valendo do costume
Do povo em que se criou

Parece ser de família
Agir com enganação
Rebeca também fez isso
Com Isaque de Abraão
Mas agora foi seu filho
Que pagou de espertalhão

Lia era boa moça
Mas do seu pai aceitou
Na farsa do casamento
Ela também concordou
Mesmo que fosse costume
Ativa participou

Mais sete anos para frente
Ele iria trabalhar
E com Lia sua esposa
Precisaria morar
Vendo Raquel bem de longe
Tendo que se conformar

Chegando a vez de Raquel
Veja que situação
As irmãs eram esposas
Numa mesma união
Comprometendo a vida
Com intriga e confusão

A mais velha engravidou
Foi aquela alegria
Mas Raquel não gostou nada
Em ver o filho de Lia
E quase de ano em ano
A mulher embucharia

Uma disputa acirrada
Entre as duas irmãs
Era uma cara feia
Logo cedo de manhã
O climão sempre pesado
No meio de todo o clã

E um dia Deus do céu
De Raquel se recordou
E a madre que era estéril
Ele então abençoou
E ela teve um menino
Que em seu ventre gerou

Era muito bafafá
Come, come e gritaria
Uma família enorme
Eu não me aguentaria
Com o tempo se passando
Mais menino inda viria

Raquel e Lia puderam
Família multiplicar
E depois com Israel
Pra sua terra voltar
Começando vida nova
Fora daquele lugar

Dos filhos que elas deram
Juntando as concubinas
Doze tribos se formaram
Numa vida peregrina
Tendo mais menino homem
Que filha mulher menina

Na vida dessas irmãs
Muita coisa aconteceu
Até elas aprenderem
A dependência de Deus
De provisão a milagres
Em tudo ele proveu

Quando a Bíblia relata
Horrenda situação
Diná filha estuprada
Que triste violação
Depois José é vendido
Intento do próprio irmão

Conflitos familiares
A que todo mundo é sujeito
Para Lia e pra Raquel
Nem tudo saiu perfeito
Uma vida de disputa
Intrigas e desrespeito

No meio disso tudinho
O Deus da vida é presente
Em lutas e agonias
Levantou remanescente
Lia e Raquel são exemplos
De pessoas como a gente

Findaram as suas vidas
Deixando então o legado
Uma grande geração
Deus tinha multiplicado
Sobre Lia e Raquel
Nomes muito bem lembrados

Raabe

(Josué 2; 6.22-26; Mateus 1.5-6; Hebreus 11.31; Tiago 2.25)

No Antigo Testamento
No livro de Josué
A história é narrada
Falando de uma mulher
Que a palavra empenhou
Sua cabeça arriscou
Pra seguir uma nova fé

De Raabe é chamada
Salvadora perspicaz
Valente e corajosa
Inteligente e capaz
De uma fé abundante
E ação determinante
Numa vitória voraz

Lhe chamam mulher da vida
Por seu trabalho e função
Intimamente ligados

Com a prostituição
E na casa acontecia
Fosse noite ou de dia
Um jogo de sedução

Mas sua vida mudou
E foi repentinamente
Quando ela hospedou
Homens que literalmente
Vieram averiguar
Sua terra espiar
Por missão secretamente

Quando foram descobertos
Autoridades locais
Vão à casa de Raabe
Com as intenções reais
De os espiões prender
Ou até fazer morrer
Como se fossem animais

E quando foi interpelada
Se os havia hospedado
A mulher não hesitou
Deu o sim por confirmado
Contudo ela sabia

Israel não tardaria
Em agir premeditado

E depois com os espias
A mulher tinhosamente
Pediu pela proteção
E diplomaticamente
Por sua casa suplicou
Com palavra empenhou
Livrá-los daí pra frente

Os espiões concordaram
E lhe deram esperança
Uma fita escarlate
Impediria a matança
Se Raabe escondesse
E em casa protegesse
Parentes em segurança

E a mulher despistou
A patrulha militar
E depois pela janela
Os espias fez passar
Deu-lhes orientação
E sob sua inspeção
Eles puderam escapar

Como fora combinado
Conquista de Jericó
Por Deus idealizada
Em seus muros ao redor
Sete voltas e tocando
O povo fosse marchando
Pra cidade virar pó

Raabe foi poupada
Com a casa de seu pai
Israel disse a ela:
“Em nosso meio habitai
Com paz e prosperidade
Crendo no Deus da verdade
Com nossa gente ficai”

Então Raabe habitou
No meio de Israel
Sobre sua descendência
Eu conto neste cordel
Pelo seu discernimento
Foi feito o juramento
Para um viver fiel

E na genealogia
Na história registrar
Do Messias matriarca

Por Boaz filho gerar
O seu nome é lembrado
Em Mateus é mencionado
Você pode confirmar

Raabe é mais que lembrada
Pelo Novo Testamento
Em Tiago e em Hebreus
Vemos reconhecimento
A essa mulher notável
Que de forma confiável
Agiu com discernimento

Sua fé é evocada
Memória do povo seu
E no capítulo onze
Na epístola aos Hebreus
Raabe é contemplada
E está eternizada
Entre o povo de Deus

Vale ainda ressaltar
Com bastante atenção
O santo Deus de Raabe
Não age com acepção
Sua vida acolheu
Porque nela percebeu
Nobreza de coração

Débora

(Juízes 4–5)

Lá debaixo da palmeira
Débora a profetisa
E também era juíza
De mulher foi a primeira
Na história pioneira
De fato inaugurou
O seu povo libertou
Entre Ramá e Betel
O conflito em Israel
Uma mulher liderou

Foi Baraque o chamado
Para tal linha de frente
Da guerra ficou temente
E até descabriado
Medo de ser derrotado
Sísera o aperriou
Foi à Débora e relatou
O destino mais cruel

O conflito em Israel
Uma mulher liderou

De Baraque a conversa
Foi que à guerra não iria
Sem ter dela companhia
Pra vencer gente perversa
Situação controversa
Com a mulher desabafou
Pra ela também rogou
Pedindo a Deus do céu
O conflito em Israel
Uma mulher liderou

Débora lhe fez sabido:
“Certamente vão dizer
Se nosso povo vencer
Não será tu referido
Se meu nome preferido
A história registrou
Nessa luta guerreou
Vão escrever com pincel”
O conflito em Israel
Uma mulher liderou

Baraque seu capitão
Não temeu o preconceito

Pra ele único jeito
Foi ter Débora em ação
Com espada em sua mão
Toda tropa comandou
E vitória alcançou
Pela mão do Deus fiel
O conflito em Israel
Uma mulher liderou

E assim a profetisa
Com Baraque combateu
Seu inimigo correu
Da luta que a preconiza
Na conquista realiza
E ao seu povo alegrou
E feliz também cantou
Por galgado o troféu
O conflito em Israel
Uma mulher liderou

Há quem pense que a mulher
Não consegue suportar
Muito menos liderar
Pois pra ela é mister
A cozinha e a colher
Mas Débora aqui mostrou

Que na guerra atuou
Pondo em ordem o tropel
O conflito em Israel
Uma mulher liderou

Liderança feminina
Tem toda capacidade
E tem notoriedade
Mulher e sua rotina
Sua autodisciplina
Triste quem subestimou
Velho machismo calou
Sendo antes seu revel
O conflito em Israel
Uma mulher liderou

A juíza botou medo
Em Sísera o comandante
Que deixou a tropa errante
E fugiu da guerra azedo
Numa tenda entrou cedo
Por convite descansou
Também não imaginou
Morte na mão de Jael
O conflito em Israel
Uma mulher liderou

Jael foi outra valente
Que de astúcia se valeu
Um copo de leite deu
Ali oportunamente
Ela foi inteligente
Uma estaca lhe cravou
A cabeça traspassou
Morte amarga como fel
O conflito em Israel
Uma mulher liderou

E Débora é conhecida
Como mulher corajosa
Digo ainda astuciosa
Naquele tempo temida
Por seu povo deu a vida
Para Deus ela entoou
O cântico a consagrou
Juntamente com Jael
O conflito em Israel
Uma mulher liderou

A história nos inspira
Na luta continuar
Mulher protagonizar
Sem temer o que aspira

Nem aquele que conspira
Que talvez se levantou
Porque se contrariou
Aprenda com este cordel
O conflito em Israel
Uma mulher liderou

Dalila

(Juízes 16.4-22)

Dalila nome semita
Uma mulher sedutora
Na arte da enganação
Uma grande indutora
Incomparável beleza
Astuta e dominadora

Morava num vilarejo
Bem pertinho de Sansão
Por ela afeiçoado
Uma rompante paixão
Que resulta em romance
Morte, intriga e traição

A figura de Dalila
Usada por filisteu
Tinha por objetivo
Acabar com o nazireu
O juiz forte e valente
Um destemido hebreu

Como já mencionei
Neste modesto cordel
O seu nome era Sansão
Que tinha missão cruel
Defender dos filisteus
O seu povo de Israel

Na disputa e na guerra
Nada detinha Sansão
A arma mais poderosa
Atingir seu coração
Com mulher que lhe fizesse
Arrastar-se pelo chão

O juiz era temido
Um guerreiro poderoso
Não sei se era bonito
Romântico e até cheiroso
Sei que era cabeludo
Temido e corajoso

Dalila é contratada
Pra fraqueza descobrir
E deixá-lo suscetível
Pela paixão distrair
E na oportunidade
Espada fazer cair

Em um plano arriscado
A mulher participando
Era atriz principal
Nessa trama estrelando
Para receber cachê
Numa morte culminando

Na primeira investida
Dalila realizou
Pergunta como deter
Em dúvida lhe deixou
Quanto à sua intenção
Ele não desconfiou

Mentindo para a mulher
Disse que se amarrado
Com sete tendões bem frescos
Seria pois derrotado
Seu poder iria embora
Deixando ele enfadado

Dalila logo correu
Para se certificar
Sobre a tal empreitada
Para Sansão derrotar
Logo então que percebeu
Que ele estava a zombar

Assim por mais três vezes
Continuou a mentir
Então a bela Dalila
Com raiva foi insistir
Apelou pra que dissesse
Verdade não omitir

O homem tão chateado
Pesou em seu coração
Pra demonstrar seu amor
Quem sabe a afeição
Disse que raspar a cabeça
Seria sua prisão

Movida pela astúcia
Dalila se esforçou
Botou Sansão para dormir
E seu barbeiro raspou
Sete tranças do valente
Suas forças dominou

Dela nada mais se fala
Com Sansão não foi assim
Ficou cego foi levado
Pelo terrível motim
Que Dalila empreendeu
Jurando amor sem fim

E dessa tragédia toda
Também se tira lição
Atinar com a cabeça
Não apenas coração
Pois ele é enganoso
Como diz a Bíblia então

Rute

(Rute 1—4)

A história que eu conto
De uma mulher importante
Da linhagem de Jesus
Mas de geração distante
Sendo ela moabita
Considerada maldita
Porque era imigrante

Ela era de Moabe
Um povo originado
De um incesto, relação
Pelo mundo condenado
Na história entrará
Num povo que lhe dará
Um nome mui afamado

Casou-se com belemita
A família ali chegada
Em Moabe região
Começar nova jornada

Com o filho de Noemi
Partirá cedo dali
Por morte precipitada

Estou falando de Rute
Cujo nome quer dizer
Amiga ou companheira
Alguém para se valer
Essa moça era sim
De uma bondade sem fim
Para a sogra socorrer

E quando a morte chegou
Noemi pôs-se a chorar
Por seus filhos e marido
Tristeza ao enviuvar
Juntamente com as noras
Vivendo amargas horas
Solidão a maltratar

Desejando regressar
Pra sua terra natal
Noemi resolve logo
Chorando e passando mal
Das noras e companhia
Deu um tchau naquele dia
Se despedindo afinal

Mas Rute não aceitou
Como a sua concunhada
Desejando ir com a sogra
De idade bem avançada
Por isso resolve então
Tomar essa decisão
Pra seguir a caminhada

Mas a sogra não queria
Negar não adiantou
Rute muito decidida
Disse "Com você eu vou"
E assim determinada
A Noemi agarrada
Lindamente declarou:

"Teu povo é o meu povo
Teu Deus é o meu também
Não me peça que te deixe
Vamos juntas a Belém
Onde você descansar
Também vou me refrescar
É assim que nos convém

"Espere um pouco mais
Outra coisa vou dizer
Só me separo de ti

No dia em que eu morrer
E nem venha retrucar
'Umbora se avexar'
É o que tenho pra dizer"

Seguindo estrada afora
As duas dali se vão
Em busca de esperança
Fartar a fome de pão
Uma bela amizade
Com afeto de verdade
Aquecendo o coração

Quando as duas mulheres
Na cidade apontaram
Noemi reconhecida
Pelo nome a chamaram
Contudo não aceitou
De Mara se nominou
E todos se admiraram

Noemi sentia a vida
A partir do sofrimento
Com a alma tão ferida
Vivia grande tormento
Sem filhos e sem marido
O coração repartido
Precisando de acalento

As duas recém-chegadas
Careciam de provisão
Foi aí que Rute agiu
Tomou outra decisão
Ir ao campo respigar
Para as sobras que pegar
Servir de alimentação

Parece coincidência
Artimanha do destino
Ou seria pura sorte
Ou até favor divino?
Rute fora trabalhar
Na fazenda encontrar
Um amor bem repentino

Tô falando de Boaz
Que não faz encenação
Ajeitando a barbicha
Palpitando o coração
Quando viu a bela Rute
Até hoje repercute
Sua cara de paixão

Boaz disse pra mulher:
"Daqui não me saia não
Permaneça nesse campo

Terás toda proteção
Não lhe faltará comida
Nem água pra tu na vida
No tempo da aflição"

Ao ouvir o homem bom
Agradecida ficou
E no fim daquele dia
Rute pra casa voltou
Levando em seu vestido
Grãos que havia colhido
Pra Noemi declarou

Que havia conhecido
Um moço mui generoso
Lhe deu o que precisava
Por ser ele tão bondoso
O seu nome era Boaz
Parecia perspicaz
Humilde e amoroso

Escutando aquele nome
Jeito galanteador
Noemi lembrou da lei
Que preserva o remidor
Um parente mais chegado

Era algo desejado
Esperança, um favor

Uma tradição antiga
Em Israel se mantinha
Resguardando a viúva
Desamparada e sozinha
Mas também a impedia
De ter a autonomia
Pois ao homem lhe convinha

Noemi disse a Rute
Boaz era seu parente
Só a ele caberia
A decisão pertinente
De com ela se casar
Uma família formar
Preservando descendente

A velha sogra sabida
Disse a nora o que fazer
Para conquistar Boaz
Do seu direito obter
Mandou-lhe se ajeitar
Se ungir, se perfumar
Pra bom resultado ter

De fininho no abrigo
Ela devia chegar
Esperar Boaz comer
E do vinho se alegrar
E quando tiver dormindo
Devagar ir incutindo
Aos pés do homem ficar

Desse jeito Rute fez
De mansinho foi chegando
E perto do indivíduo
Foi ela assim ficando
Quando os pés descobriu
A Boaz sim sugeriu
O que estava cogitando

Era amparo e proteção
O que enfim Rute queria
Companhia e cuidado
Certo que almejaria
E muito mais conquistou
Pois Boaz se declarou
Como Noemi previa

E havia um impasse
Para Rute ser remida
Outro parente chegado

Faria a lei cumprida
Dele era o direito
Mas havendo o rejeito
Teria contrapartida

Boaz foi mais que depressa
Matutando o pensamento
Atrás desse tal parente
Para ter o documento
Para saber dele então
Se ele queria ou não
Rute para casamento

Diante daquele moço
Testemunhas escutando
Boaz declarou as posses
Os mortos representando
Elimeleque e Malom
Também tinha Quiliom
E a Rute acrescentando

Ao tomar conhecimento
Para ele resgatar
As posses daqueles homens
Precisava se casar
Com Rute a estrangeira

E não era brincadeira
Uma sogra pra cuidar

O parente foi ouvindo
Os olhos arregalando
Disse ao sábio Boaz:
"Meu direito vou passando
Se quiser pode ficar
Com a mulher pode casar
Assino o que estou falando"

E Boaz alegremente
Com Rute foi celebrar
Noemi agraciada
Feliz a comemorar
Com a bênção do Senhor
O eterno redentor
Que fez a vida mudar

Dessa união nasceu
Um menino abençoado
Ascendente de Jesus
De Obede foi chamado
E de Rute a estrangeira
Veio de sobremaneira
O Messias esperado

Jezabel

(1Reis 16.31–21.28)

Oportuno casamento
Visava aliançar
Duas nações ajuntar
Para favorecimento
União de pensamento
Política e religião
Uma grande confusão
Em Israel instaurada
Jezabel foi castigada
Por fazer perseguição

A fenícia Jezabel
Com Acabe se casou
A Javé não agradou
Santo Deus de Israel
Essa rainha cruel
Exerceu dominação
Envolveu religião
De forma premeditada

Jezabel foi castigada
Por fazer perseguição

Eita rainha malvada
Elias desafiou
Em Israel obrigou
Uma fé politizada
E religião ditada
A Baal exaltação
Era essa condição
Para ser observada
Jezabel foi castigada
Por fazer perseguição

No tempo de escassez
Do céu a chuva não vinha
Pra Baal a ladainha
Dança e cantiga de vez
A rainha da altivez
De Baal quer provisão
E também a proteção
Mas ele não pode nada
Jezabel foi castigada
Por fazer perseguição

Elias foi se meter
Com os profetas de Baal

A intriga afinal
Era pro fogo descer
Sacrifício derreter
No altar de oblação
Receber adoração
Por aquela profetada
Jezabel foi castigada
Por fazer perseguição

E Elias decidiu
A Baal desafiou
A rainha rejeitou
Javé do céu tudo viu
No altar fogo caiu
Feito raio e trovão
Para Baal a lição
Ô nação obstinada!
Jezabel foi castigada
Por fazer perseguição

Quatrocentos e cinquenta
Contra o único profeta
Que a Jezabel afeta
Ela já não o aguenta
Elias a atormenta
Sua denunciação

Trouxe a ela confusão
Mulher endemoniada
Jezabel foi castigada
Por fazer perseguição

Os profetas de Baal
Caíram por ordenança
De Elias a matança
Veio ódio infernal
Jezabel deu o sinal
De haver retaliação
Ao profeta da nação
Pela morte projetada
Jezabel foi castigada
Por fazer perseguição

Essa rainha terrível
Fez o profeta correr
Na caverna se esconder
Veja que coisa incrível
O profeta suscetível
"Jeza" virada no cão
Querendo botar a mão
Para se sentir vingada
Jezabel foi castigada
Por fazer perseguição

Enquanto Jezabel procura
Elias exterminar
Javé vai dele cuidar
Devolver a compostura
Tirá-lo da amargura
E dessa situação
Fartar sua fome de pão
Para voltar à jornada
Jezabel foi castigada
Por fazer perseguição

Quando Acabe morreu
A rainha aproveitou
Todo o reino governou
E maldade prometeu
Profecia recebeu
A terrível previsão
Ser comida pelo cão
Sua carne devorada
Jezabel foi castigada
Por fazer perseguição

Como é triste seu final
Empurrada da janela
Não havia sentinela
Pra livrá-la desse mal

Foi Jeú o seu rival
Que ordenou o empurrão
Só lhes sobraram as mãos
Por morte profetizada
Jezabel foi castigada
Por fazer perseguição

Ester

(Ester 1—10)

Na província de Susã
Babilônia região
Os judeus foram levados
Pra servir essa nação
Todos eram dominados
E na vida aprisionados
Sofrimento e aflição

No meio de todo o povo
Cresceu a bela menina
Órfã de pai e de mãe
Desde muito pequenina
Por seu primo adotada
Protegida e amada
Assim a Bíblia ensina

Essa história não é
Um conto de fadas não
Pois além da orfandade
Inda tinha escravidão

Ao povo que pertencia
A bela moça judia
Que vivia em exclusão

O parente que a criara
Se chamava Mardoqueu
Homem sábio e bondoso
Justo e sincero judeu
De sua filha zelava
Hadassa ele a chamava
Um lindo nome hebreu

Assim a moça crescia
Em formosura e beleza
Uma jovem delicada
Feito flor da natureza
No lugar admirada
E possível cortejada
Isso digo com certeza

Hadassa e Mardoqueu
O seu pai de criação
Possuíam outros nomes
Dentro daquela nação
Mordecai e ela Ester
Para ambos é mister
Essa aculturação

E havendo na província
Estranho recrutamento
O grande rei Assuero
Desmanchou o casamento
Buscando novo harém
A mulher que lhe convém
Para seu contentamento

Toda moça da cidade
Devia ser recrutada
Por decreto pavoroso
A mulher fora obrigada
Sua família deixar
Para o palácio mudar
E viver ali trancada

Mardoqueu orientou
A Hadassa fez saber
Não falar de sua origem
A ninguém ela dizer
A que povo pertencia
Muito menos ser judia
É algo para esconder

E a linda e bela Ester
Pro palácio foi levada

Deixando a corte inteira
Todinha admirada
Quando o nobre rei a viu
Seu coração veio a mil
De forma desenfreada

Imagine o bafafá
Lá no meio do harém
Invejosas perguntando:
"Mulher, o que ela tem?
É do rei a preferida
E por ele escolhida
Para ser seu novo bem"

E assim aconteceu
Ester foi coroada
Escolhida a rainha
Por Assuero amada
Ao seu reino fez saber
Se cumpriu o seu querer
Numa festa animada

Com o tempo se passando
Mardoqueu queria estar
Pertinho de sua filha
E podê-la abraçar
Sentou em frente ao portão

Na esperança então
E de longe lhe avistar

Foi então que Mardoqueu
Sem querer ele escutou
A guarda de Assuero
Atentado ao rei tramou
Ele correu para dizer
E a rainha fez saber
Como tudo se passou

A rainha bem depressa
Contou tudo ao marido
Em nome de Mardoqueu
O seu velho pai sabido
O rei se antecipou
E aos falsos enforcou
Por decreto expedido

E o nome de Mardoqueu
No livro foi registrado
Crônicas de Assuero
Pra um dia ser lembrado
É o que vai acontecer
Não se avexe para ler
De modo antecipado

Preciso falar agora
De um cabra intrigante
Adulador nessa vida
Se acha a todo instante
Assim era o tal Hamã
Do rei se dizia fã
Ô figura petulante!

Esse tal fora do rei
O mais novo promovido
Devendo todo o povo
Lhe honrar como devido
Quando se aproximar
A cabeça encurvar
De respeito imbuído

E contudo Mardoqueu
Sempre à espera no portão
Se via Hamã passar
Não se inclinava não
Isso já foi o bastante
Para o dito arrogante
Tomar uma decisão

Hamã inflamou o rei
Contra o povo judeu
Porque ficara irado

Acerca de Mardoqueu
Um massacre ordenado
Aos judeus fora imputado
O maldoso concebeu

Veja o que é vaidade
E também a ambição
Envenena a pessoa
E lhe tira a razão
Assuero sem saber
A Ester fez padecer
A morte por maldição

O pai da rainha Ester
Quando leu o veredicto
Rasgou logo suas vestes
Coração ficou aflito
O desespero e a dor
Oração a Deus, clamor
Pelo socorro bendito

A rainha avisada
Sobre tudo se passando
Providenciou ajuda
Ao pai na rua clamando
Com o coração partido

Tal decreto expedido
O povo se lamentando

A hora era chegada
Da grande revelação
De Ester e sua origem
De sua gente e nação
Mardoqueu mandou dizer
Pra rainha interceder
No tempo da aflição

Ester morrendo de medo
Sem saber como agir
Não quis se comprometer
Pelo seu povo pedir
Mardoqueu chama atenção
Dizendo que ela então
Poderia sucumbir

Avexada a rainha
Matuta no pensamento
"Como falar com o rei?
Vou usar qual argumento?"
Foi então que se lembrou
Um jejum ela ordenou
Nesse terrível momento

Ester idealizou
De uma forma criativa
Dois jantares e banquetes
Mesa bem apetitiva
Aos monarcas convidou
Isso muito alegrou
Criando expectativa

O Deus todo-poderoso
Que escuta oração
Aceitando o jejum
De sincero coração
Fez o rei sono perder
Em seu livro também ler
Sobre uma situação

Crônicas palacianas
Diziam que Mardoqueu
Uma trama descobrira
Recompensa não se deu
Nem ao menos obrigado
Mardoqueu não foi lembrado
Do rei nada recebeu

Assuero desejou
Ao judeu recompensar
E na hora bem exata

A Hamã foi consultar
Perguntando o que fazer
Ao homem que merecer
O rei homenagear

Veja que o bajulador
Fez uma grande confusão
Achando que o rei queria
Lhe dar mais que atenção
Disse a ele pra vestir
E ao homem fazer sair
Montado na multidão

Assuero se agradou
Da proposta que ouviu
E ao verme do Hamã
Ele assim se referiu:
"Tudo isso tu fará
Mardoqueu tu honrará
Como o teu rei pediu"

Imagine a grande cena
O judeu todo enfeitado
Com o anel real no dedo
E Hamã sendo humilhado
É assim que acontece

Deus exalta quem merece
No tempo determinado

No banquete de Ester
Ela assim escancarou
Sua nacionalidade
Sua origem declarou
Falando ao seu marido
Qual seria seu pedido
E a Hamã denunciou

O vexame foi total
Com o plano descoberto
Assuero como louco
Olhava Hamã de perto
Se encostando na rainha
Foi aquela ladainha
Contudo nada deu certo

O monarca se lembrando
Do decreto assinado
Sua lei não permitia
Que ele fosse revogado
Decidiu autorizar
Qualquer judeu se armar
Pra não morrer massacrado

O rei cumpriu a vontade
Tudo que Ester queria
Ele disse que a metade
Do seu reino lhe daria
A rainha compreendeu
Ao seu povo socorreu
No tempo da agonia

Na terra da Babilônia
Assim o povo judeu
Teve paz naquele tempo
E o honrado Mardoqueu
No palácio foi morar
Nesse reino ajudar
Trabalho que recebeu

Hamã e toda família
Tiveram horrenda morte
Enforcados alguns juntos
Vejam só que triste sorte
Mas o nobre Mardoqueu
No reinado recebeu
Reconhecimento forte

Agora a bela Ester
Receio já não tinha
De viver com liberdade

Sua fé também mantinha
É na Bíblia registrada
No cordel intitulada
“De escrava a rainha”

ISABEL

(Lucas 1.5-80)

História para contar
Protagoniza Isabel
Em meus versos de cordel
Sua vida poetizar
Com boa rima falar
De sua fé e devoção
Também da admiração
Que é evidenciada
Isabel fora honrada
Por humilde coração

Nas montanhas de Israel
Morava com o marido
O sacerdote entendido
Sobre assuntos do céu
Veio o anjo Gabriel
Trazer a anunciação
Que o sacerdote então
Teria a vida mudada

Isabel fora honrada
Por humilde coração

Para o idoso casal
Aconteceu de surpresa
Do céu a grande certeza
Foi do sobrenatural
Assim providencial
Resposta de oração
Divina concepção
Na mulher concretizada
Isabel fora honrada
Por humilde coração

Era estéril a mulher
E avançada em idade
O que não é novidade
Pra Deus fazer quando quer
O que pra ele é mister
Como a Sara e Abraão
Agora nascerá João
Da sua serva amada
Isabel fora honrada
Por humilde coração

E Zacarias ouviu
Do anjo anunciado

E na estéril gerado
Como o anjo previu
Mudo o homem saiu
Pois acreditou que não
Que essa situação
Por Deus fosse aprovada
Isabel fora honrada
Por humilde coração

É claro que aconteceu
E foi milagrosamente
Isabel daí pra frente
No seu ventre concebeu
Esse era o desejo seu
Seu nome na geração
Andar sem humilhação
Do povo não ser mangada
Isabel fora honrada
Por humilde coração

Com a barriga crescendo
Aos poucos ela sentia
Por fé o marido via
Bem ali acontecendo
E Deus estava provendo
Na tardia gestação

Todos veriam então
Que ela é agraciada
Isabel fora honrada
Por humilde coração

Entrando pro sexto mês
O anjo foi aparecer
Para Maria dizer
E surpreender talvez
Falando de uma vez
De Isabel situação
Disse com exclamação
"Ela está embuchada!"
Isabel fora honrada
Por humilde coração

Maria a Deus cantou
E partiu pra visitar
Sua prima ajudar
Para longe viajou
Quando Isabel avistou
Foi aquela animação
No bucho confirmação
Por boca profetizada
Isabel fora honrada
Por humilde coração

Encontro inusitado
E de grande alegria
As buchudas nesse dia
De ânimo renovado
Tendo em Deus confiado
Pra essa santa missão
No ventre Jesus e João
Conexão confirmada
Isabel fora honrada
Por humilde coração

E em um dia bendito
João Batista nasceu
Como assim prometeu
O anjo que havia dito
Sendo nome favorito
Dito à antecipação
E naquela região
A história foi contada
Isabel fora honrada
Por humilde coração

A família reunida
Zacarias e Isabel
A contemplar na terra o céu
Com a bênção recebida

A mulher agradecida
Do marido ouve canção
Para Deus adoração
Sua glória é exaltada
Isabel fora honrada
Por humilde coração

Ana, a profetisa

(Lucas 2.25-40)

Em Jerusalém havia
Uma profetisa idosa
No templo ela servia
De maneira generosa
Em jejuns e orações
Vivendo fé operosa

Ela se chamava Ana
A filha de Fanuel
De tradição preservada
No povo de Israel
Aguardava com fervor
Manifestação do céu

Com oitenta e quatro anos
Cedo viúva ficou
Sete anos com o marido
Pra longe a morte o levou
E no coração de Ana
A tristeza ali entrou

A reunião no templo
Sacerdote Simeão
Maria e José levaram
Para apresentação
Jesus o recém-nascido
Pra sua consagração

E no momento exato
Chegou Ana profetisa
Tomada por sua fé
Naquela hora precisa
Fez lindas declarações
Como uma poetisa

Tinha firme esperança
Do povo a restauração
Sobre a vinda do Messias
No dia da redenção
Como declarou na Bíblia
Sacerdote Simeão

Essa linda profetisa
Foi testemunha ocular
Pra muita gente falou
Que acabara de chegar
Em Israel novidade
Corações a se transformar

Esperança e alento
Para o povo sofredor
Profecia encarnada
No menino Salvador
Luz ao mundo a clarear
Reluzir de resplendor

O que será que mais disse
Sobre o menino Jesus?
Pois que o nobre ancião
Declarou ser ele a luz
Salvação para as nações
Caminho que a Deus conduz

Acredito que ao ouvir
A linda declaração
Ana se emocionou
Bateu forte o coração
E diante dos seus olhos
Divina revelação

Se fosse eu no cenário
Ficaria extasiada
Ver de perto o Messias
Ter a alma renovada
Alcançando a promessa
Por profeta proclamada

De fato a alegria
Trouxe a Ana expressão
Do grande amor de Deus
Um tempo de comunhão
Esperança e justiça
Vida, paz, libertação

E no Espírito Santo
Ela se fortaleceu
De renovo e alegria
Como sonho aconteceu
Na velhice novidade
Dum menino que nasceu

Ela foi a profetisa
Desse tempo natalino
Que guardou no coração
Ver o Messias menino
Salvação pra toda gente
Por graça e favor divino

Uma mulher dedicada
Que servia ao Senhor
Na sua simplicidade
Recebeu grande favor
Falar do Filho de Deus
Da missão do seu amor

Ana deixa um legado
Nossa oportunidade
Ainda profetizar
Sobre o Senhor da verdade
Desejando alcançar
Toda essa humanidade

A MULHER DO FLUXO DE SANGUE

(Marcos 5.21-34)

No ruge, ruge de gente
A multidão o cercava
Jesus naquele moído
Enfermidades curava
Quanto mais curas havia
Mais sua fama se espalhava

Veja o que aconteceu
Com uma certa mulher
Que ao ouvir do Senhor
Alimentou sua fé
Se apressando para vê-lo
Ou saber quem ele é

Essa mulher corajosa
Protagonismo terá
No meio de tanta gente
De graça alcançará
Não posso contar tudinho
Pois em breve tu lerá

A pobre e dita mulher
O nome a Bíblia não diz
Se esvaía em sangue
Era triste e infeliz
Se apegou com Jesus
O seu milagre ela quis

Doente há doze anos
E gasto todo dinheiro
Aos médicos ela foi
Bebeu remédio caseiro
Mas não ficava curada
Nos diz assim o roteiro

Dizia a lei mosaica
Mulheres com sangramento
São tidas como impuras
E é do conhecimento
Devendo se afastar
De todo ajuntamento

Pense aqui bem direitinho
E veja a situação
Da pobre mulher enferma
No meio da multidão
Movida por sua fé
Tomou assim decisão

Ao escutar sobre as curas
A prova ela quis tirar
Sem ter mais o que perder
Só lhe restou arriscar
Vencer grande multidão
Em Jesus Cristo tocar

E bem assim ela fez
Matutou no pensamento
Tocou na franja da roupa
E no exato momento
Sentiu a sua cura
De todo aquele tormento

E recebendo a graça
Queria sair ligeiro
Calada, desconfiada
E num silêncio rasteiro
Mas de surpresa Jesus
Se manifestou primeiro

A mulher se enganou
Não fora despercebida
O Mestre alto indagou
Pela atitude atrevida
Quem lhe tocara com fé
Tivera a cura devida

Foi aquele zum, zum, zum
No meio do pisa, pisa
Um olhava para o outro
Sem a resposta concisa
Mas Jesus continuava
Com sua fala precisa

Parecia deslocada
A tal interpelação
E havia fundamento
Veja agora a razão
Na resposta da mulher
A grande revelação

Em Israel se dizia
No Antigo Testamento
Do Messias profecia
Se viu naquele momento
Se nas vestes for tocado
Cessará o sofrimento

Ela se apresentou
Dizendo "Eu te toquei
Senti a tua virtude
Da hemorragia sarei
E de agora em diante
Vida nova eu terei"

Que bela lição de fé
Essa mulher ensinou
Após ter o seu milagre
Jesus pra ela falou
Lhe declarou vida nova
Salvação ela alcançou

A SAMARITANA

(João 4.1-30)

Lá no poço de Jacó
Caminho de Samaria
Não foi à boca da noite
E sim na hora do dia
Jesus Cristo lá chegou
Tendo sede desejou
A caneca de água fria

Os discípulos adiante
Foram para a cidade
À procura de comida
Naquela comunidade
Deixaram Jesus no poço
Livrando-lhe do alvoroço
Ou cansaço que o enfade

Em um calor de rachar
Lá vinha então a mulher
Com sua jarra na mão
No caminho vindo a pé

No tino do meio-dia
O sol quente que ardia
Qual fogo na chaminé

E Jesus lhe pediu água
Mas de cara ela não deu
Questionou tal pedido
Percebeu ser um judeu
Não quis nem dialogar
Pra conversa encurtar
Fingiu que não percebeu

Sem saber quem era aquele
Que insistente falava
Decide ouvir atenta
Às vezes desconfiava
Por conta da confusão
Dos judeus e outra nação
Gente que não combinava

E Jesus bem conhecia
Da mulher situação
Declarou-lhe claramente
Fez grande revelação
Foi então advertindo
Que quem estava pedindo
Lhe daria redenção

Disse o Mestre amado:
"Dá-me água por favor
E em troca lhe darei
Rio em seu interior
A fonte da eternidade
De onde jorra a verdade
E emana todo amor

Tua sede saciará
Viverá em novidade
Bebendo a minha água
Terá a felicidade
Que o mundo não pode dar
Se tu queres beberá
Pra tua saciedade"

A mulher não entendeu
Aquela explanação
Pensava não precisar
Voltar ao poço então
Nem tão pouco se cansar
E distantemente andar
Com seu cântaro na mão

A prosa ficou estreita
Quando Jesus ordenou:
"Vai chamar o teu marido"

Que susto a mulher levou
Uma flecha bem no meio
Ele falou sem rodeio
Na ferida acertou

A samaritana ouviu
Ficou tão admirada
Com os zóio arregalado
Atenta e descabriada
Largando o vaso no chão
E em tom de confissão
Disse sem medo de nada:

"Marido eu não tenho não
Ao senhor não vou mentir
E sem beber dessa água
Eu daqui não vou sair
Trate logo de me dar
Água para saciar
Pra depois me despedir"

Diante de sua fala
Jesus disse: "É verdade
Isso que você falou
Disse com sinceridade
Cinco maridos tivestes

O atual que a ti viestes
Não te traz felicidade"

A mulher envergonhada
Sem saber como fazer
Da conversa desviar
Fazer Jesus esquecer
E o profeta declarou
Sobre ela revelou
O que não ouviu dizer

E ainda prosseguiu
Com ele a dialogar
Onde o povo deveria
Ao Deus santo adorar
Que seu Messias viria
Ela disse que sabia
Que haveria de chegar

Ao ouvi-la Jesus Cristo
Ali mesmo se mostrou
O Messias esperado
Pra mulher assim falou:
"Quem deseja adorar
Não importa seu lugar"
Jesus Cristo afirmou

Então a samaritana
Na cidade anunciou
Disse que viu o Messias
Com ele dialogou
Pessoas foi convidando
A mensagem proclamando
Pregadora se tornou

Os discípulos chegando
Eis a interrogação
Por que daquela conversa
Qual seria a razão
Mas ninguém quis perguntar
Sobre o assunto falar
Nem fazer indagação

Bem assim neste cordel
Nós podemos aprender
Na história da mulher
Sua vida conhecer
E por meio de um pedido
Jesus ter oferecido
Água boa pra beber

Com essa prosa aprendemos
Uma oportuna lição
Talvez a mais importante

É sem dúvida inclusão
De Jesus o acolhimento
Dando empoderamento
À mulher em sua missão

O outro aprendizado
Muito forte e de efeito
É sobre a doce postura
Do Cristo sem preconceito
Tratou a samaritana
Divinamente humana
Com amor e com respeito

Não poderia esperar
Um outro comportamento
Que não fosse de amor
Esse é o fundamento
Da mensagem de Jesus
Que para a vida conduz
Pois em tudo é alento

Para nós é importante
O que Jesus demonstrou
A mulher samaritana
Ele a comissionou
Na missão foi a primeira

Anunciar na carreira
Que o Messias já chegou

O Messias esperado
É Jesus de Nazaré
Que no poço de Jacó
Acolheu uma mulher
Deu-lhe oportunidade
Vida e dignidade
Respeitando sua fé

A MULHER PEGA EM ADULTÉRIO

(João 8.1-11)

O secreto envolvimento
Mas agora descoberto
Situação que decerto
Traz terrível julgamento
Adultério e casamento
Expõe o homem e a mulher
Pegos num dia qualquer
Em atitude atrevida
Quem nunca pecou na vida
Jogue pedra se puder

Jesus Cristo indagado
Sobre o acontecimento
E seu posicionamento
Precisa ser revelado
Ele foi interrogado
Acredite se quiser
Trouxeram só a mulher
Com sua alma despida

Quem nunca pecou na vida
Jogue pedra se puder

Foi coisa de fariseu
Pra Jesus uma armadilha
Um lobo e sua matilha
No encalço do galileu
Ele no chão escreveu
Ninguém me disse o que é
Adivinhe se souber
Se a palavra foi lida
Quem nunca pecou na vida
Jogue pedra se puder

Mas a turma insistia
Do Senhor uma resposta
Ali a mulher exposta
E pedradas levaria
Pois assim a lei dizia
Ao adúltero é mister
Cumprir o que a lei disser
E a causa está resolvida
Quem nunca pecou na vida
Jogue pedra se puder

E Jesus atentamente
Contemplando com olhar

Resolveu se levantar
Deu resposta prontamente
E então sabiamente
Sem temer coisas quaisquer
Pois viesse o que vier
Disse de forma doída
Quem nunca pecou na vida
Jogue pedra se puder

Toda aquela multidão
Queria apedrejar
Com a mulher acabar
Dar fim na situação
Imagino um empurrão
Maldição ou pontapé
E se alguém propuser
Em seu rosto uma cuspida
Quem nunca pecou na vida
Jogue pedra se puder

A mulher possivelmente
As pancadas aguardava
Decerto não imaginava
O que viria na frente
A pedra quebrando o dente
Xingamentos a migué

Gente metendo a colher
Deixando-a mais sofrida
Quem nunca pecou na vida
Jogue pedra se puder

Apontando a solução
Jesus Cristo resolveu
E com graça envolveu
Sem fazer condenação
Atitude de cristão
De gente de boa-fé
Não importando quem é
A pessoa é defendida
Quem nunca pecou na vida
Jogue pedra se puder

Um a um foram saindo
Após interpelação
Soltando pedras da mão
Na cabeça refletindo
Multidão diminuindo
Deixam Jesus e a mulher
E ela não sabe quem é
Aquele que deu guarida
Quem nunca pecou na vida
Jogue pedra se puder

A pergunta é certeira
"Cadê os acusadores
Que com palavras de dores
Te fizeram a caveira?
Tu estás nessa sujeira
Só fica assim se quiser
Pois o teu lugar, mulher
Não é pra sempre caída"
Quem nunca pecou na vida
Jogue pedra se puder

Atitude coerente
De Jesus o Salvador
Que responde com amor
Mas não é condescendente
Com o pecado iminente
De gente rica ou ralé
Mesmo se fosse o "Mané"
Que ficou às escondidas
Quem nunca pecou na vida
Jogue pedra se puder

"Agora não peques mais"
Foi o que disse Jesus
"Sai das trevas, vem pra luz
Não queira coisas banais

Pro reino de Deus olhai
Vida eterna é em Javé
Salvação, bênção e fé
Pra alma que está ferida"
Quem nunca pecou na vida
Jogue pedra se puder

Dorcas

(Atos 9.36-43)

Uma mulher genial
E de solidariedade
Vivia a cristandade
O amor de forma igual
De vida testemunhal
Em sua prendada mão
Aprendeu com artesão
De maneira preciosa
Dorcas era generosa
De bondoso coração

Jope era a cidade
Em que ela residia
E via no dia a dia
A muita desigualdade
Dentro da sociedade
Que não tinha provisão
Viuvez sem atenção
A deixava ansiosa

Dorcas era generosa
De bondoso coração

A cidade era costeira
Tinha muito pescador
Um povo trabalhador
Com a vida corriqueira
E sua arte pesqueira
Entre o mar e embarcação
Leva maridos então
Com a volta duvidosa
Dorcas era generosa
De bondoso coração

As viúvas que ficavam
Entre a fome e a pobreza
Muitos órfãos com certeza
Olhando o mar choravam
Os pais que não retornavam
Pra comer peixe com pão
A vida sem proteção
Que se torna onerosa
Dorcas era generosa
De bondoso coração

Assim ela começou
As túnicas costurar

Para mulheres doar
Do que confeccionou
Com as boas mãos criou
Usando a imaginação
Pra fazer com perfeição
De maneira graciosa
Dorcas era generosa
De bondoso coração

Mas veio um triste dia
Sobre a comunidade
Que a amava de verdade
Não só pelo que fazia
Tristeza com agonia
De morte de comoção
Com as túnicas na mão
E de alma pesarosa
Dorcas era generosa
De bondoso coração

Fechou os olhos e dormiu
Do mundo vil descansou
Pra ela a vida acabou
No choro o povo caiu
Viúvas gente acudiu
Não haverá mais missão

Pois ela se foi então
De forma silenciosa
Dorcas era generosa
De bondoso coração

Com muita perseverança
A mensagem já dizia
Para a morte e agonia
Jesus nossa esperança
E nele temos bonança
Em meio à tribulação
Vem dele a salvação
Pra alma calamitosa
Dorcas era generosa
De bondoso coração

Mandou-se a Pedro avisar
Que a boa Dorcas morreu
Pois grave adoeceu
Não podendo aguentar
A Pedro foram chamar
Para fazer oração
Ao santo Deus petição
Pela mulher prestimosa
Dorcas era generosa
De bondoso coração

O apóstolo chegando
Mandou o povo sair
A Deus ele foi pedir
Pra que fosse ordenando
E a mulher despertando
Do sono e inanição
Em Jesus ressurreição
E vida maravilhosa
Dorcas era generosa
De bondoso coração

Assim milagrosamente
Tabita ressuscitou
O povo se admirou
Ao ver bem ali na frente
A cidade se fez crente
Naquela ocasião
Jesus anunciação
Deu a vida gloriosa
Dorcas era generosa
De bondoso coração

Discípula foi chamada
Por Lucas evangelista
E outra em sua lista
Não é assim mencionada

Reconhecida e tratada
Pelo princípio cristão
Cristã que é expressão
De uma fé operosa
Dorcas era generosa
De bondoso coração

Sobre a autora

Gilmara Michael Silva Souza Oliveira é escritora, compositora, poeta e cordelista. É formada em Teologia pela Universidade Metodista de São Paulo (UMESP), com especialização em Psicopedagogia, e pastora na Igreja Metodista em Olinda (PE).

Compartilhe suas impressões de leitura,
mencionando o título da obra, pelo e-mail
opiniao-do-leitor@mundocristao.com.br
ou por nossas redes sociais

Esta obra foi composta com tipografia Calluna
e impressa em papel Pólen Soft 70 g/m² na gráfica Eskenazi